まちごとチャイナ
江蘇省 002

はじめての蘇州
中国庭園と鐘の鳴る「古都」
［モノクロノートブック版］

JN122295

長江が育んだ肥沃な大地、豊かな水と網の目のように走る
水路、温和な気候にめぐまれた蘇州。紀元前514年に都がお
かれた蘇州は、江南有数の伝統をもつ街として知られ、「天
に天堂、地に蘇杭あり（天に天堂があるように、地には蘇州
と杭州がある）」とたたえられてきた。

　蘇州の豊かな恵みは多くの文人、商人などをひきつけ、
とくに明清時代にその繁栄は頂点に達した。世界遺産にも

指定されている中国古典園林（庭園）が造営され、清朝皇帝はこの地の風土を愛でてたびたび南巡を行なった。

こうしたなか20世紀末から、上海の西100kmに位置する距離や、人口密集の長江デルタの中心にあたる蘇州の「地の利」が注目されるようになった。旧城をとり囲むように郊外に開発区がもうけられ、上海との一体化が進む江蘇省最大の経済都市となっている。

まちごとチャイナ｜江蘇省 002｜

はじめての
蘇州

中国庭園と鐘の鳴る「古都」

「アジア城市（まち）案内」制作委員会
まちごとパブリッシング

Contents

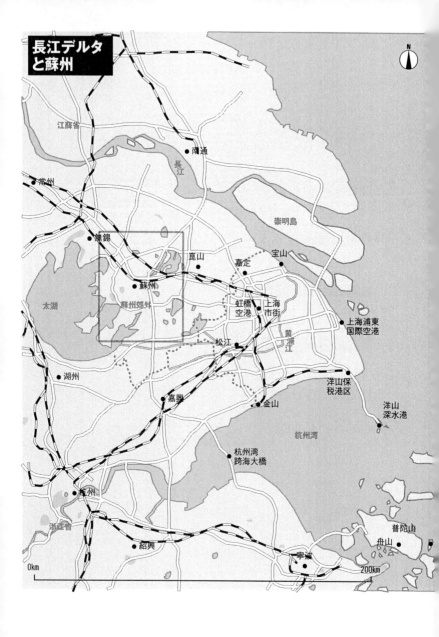

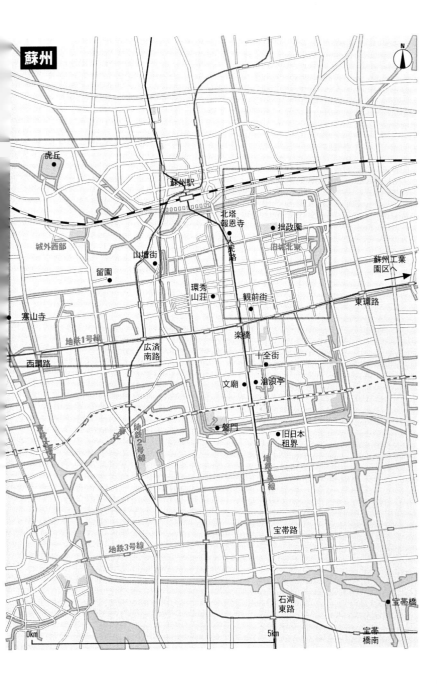

蘇州

N

虎丘

蘇州駅

城外西部

北塔
報恩寺

拙政園

園林北寺

留園

山塘街

蘇州工業
園区へ

環秀
山荘

観前街

東環路

寒山寺

地鉄1号線

楽橋

西環路

広済
南路

十全街

文廟

滄浪亭

地鉄2号線

盤門

旧日本
租界

地鉄4号線

宝帯路

地鉄3号線

石湖
東路

宝帯橋

0km

5km

宝帯
橋南

★★★
拙政園[世界遺産]／拙政園 チュオチェンユゥエン
山塘街／山塘街 シャンタンジエ
虎丘／虎丘 フウチィウ
寒山寺／寒山寺 ハンシャァンスー

★★☆
北塔報恩寺／北塔报恩寺 ベイタアバオエンスー
観前街／观前街 グァンチィエンジエ
盤門／盘门 パンメン
留園[世界遺産]／留园 リィウユゥエン

★☆☆
文廟(蘇州碑刻博物館)／文庙 ウェンミャオ
滄浪亭[世界遺産]／沧浪亭 ツァンランティン
十全街／十全街 シイチュアンジエ
宝帯橋／宝带桥 バオダイチャオ

憧憬の江南文化その中心

蘇州は江南でもっとも早く開けた土地
人々は「魚」と「米」を食し
水辺に住宅を構えて生活してきた

地上の楽園

　「江浙熟せば天下足る」という言葉は、中国でもっとも豊かな穀倉地帯である蘇州や長江デルタをさして使われた。明代、蘇州府だけで全国税額の10分の1をおさめるなど、蘇州の豊かさは広く知られ、その経済力を背景に都市文化を花開かせた。官吏を離れた文人は蘇州に自らの私邸をつくって隠遁生活を行ない、建築、演劇、工芸などさまざまな分野で洗練された芸術が育まれた（また蘇州人の食通も知られる）。明清時代、蘇州は首都北京を経済的に支え、大運河を通って江南の米が華北へ運ばれたほか、京劇や北京ダック、頤和園などの庭園は蘇州を中心とする江南文化の影響のもと成立したという。

拡大する蘇州

　春秋時代の紀元前514年に呉の都として建設されて以来、蘇州は2500年のあいだ持続する都市となっている。この古くからの街が城壁で囲まれていた旧城で、拙政園や滄浪亭といった中国庭園が位置する。旧城西郊外を京杭大運河が流れ、明清時代、運河に近い西側の山塘街が商業地区として発展した。こうしたなか、20世紀末に蘇州旧城をはさむよ

うに東西にふたつの開発区がおかれたほか、蘇州市街部に対して大蘇州市は常熟、張家港、昆山、呉江、太倉を包括し、長江を通じた港をもっている。

水の都

　街の縦横に水路がはりめぐらされ、そこをゆく船、水路へ続く階段や橋など水と一体となった光景が広がる蘇州。元代、この街を訪れたヴェネチアの商人マルコ・ポーロが蘇州の繁栄をたたえたこともあり、『東洋のヴェニス』とも呼ばれてきた。長らく、蘇州では船が物資や人を運搬する交通手段に使われ、無錫、崑山、周荘、同里など蘇州を中心に高密度に都市や鎮が集まっている。それらは水路で結ばれ、蘇州を中心とした交易ネットワークがつくられていた。

古都と経済都市のふたつの顔をもつ

酒が売られていた

水路を中心に建てられた住宅

地上の楽園にたとえられた蘇州

蘇州城市案内

中国を代表する名園の拙政園
3世紀に創建された玄妙観
それらはこの街の豊かな文化を伝える

蘇州旧城の構成

蘇州旧城は、紀元前514年、この地の地形や風水をふまえて呉の名臣下伍子胥によって設計され、以来、2500年のあいだ同じ位置で都市が持続している。人の歩く道路と船が進む水路が碁盤の目状に走り、旧城内外をわける城壁の門には、水門(船用)、陸門のふたつが並置されている(南西の盤門にその姿が残っている)。この旧城を南北につらぬく人民路は、宋代以来の繁華街で、その北の軸線上に鉄道駅が位置する。

拙政園[世界遺産]／拙政园★★★
zhuō zhèng yuán
せっせいえん／チュオチェンユゥエン

中国を代表する名園にあげられる拙政園は、明代の1509年、官吏の王献臣によって造営された。造園にあたっては、明代最高の文人のひとり文徴明が関わったとされ、その後、清代、民国時代を通じていくども手が加えられてきた。東部、中央部、西部にわかれた庭園は、蓮池を中心に楼閣や奇石、樹木が配置された回遊式庭園となっている。太平天国の拠点がおかれた忠王府、呉派文人の書画を収蔵する蘇州博物館も隣接する。

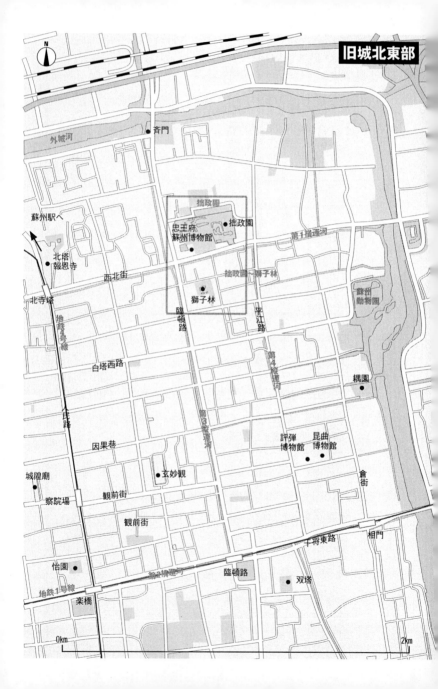

N

旧城北東部

外城河

斉門

蘇州駅へ

拙政園

忠王府
蘇州博物館

拙政園

第1横濱河

北塔
報恩寺

西北街

拙政園〜獅子林

北寺塔

地鉄4号線

獅子林

蘇州動物園

臨頓路

平江路

第4横濱河

耦園

白塔西路

人民路

第3横濱河

因果巷

評弾博物館

昆曲博物館

城隍廟

玄妙観

察院場

観前街

倉街

観前街

干将東路

相門

怡園

第2横濱河

臨頓路

双塔

地鉄1号線

楽橋

0km

2km

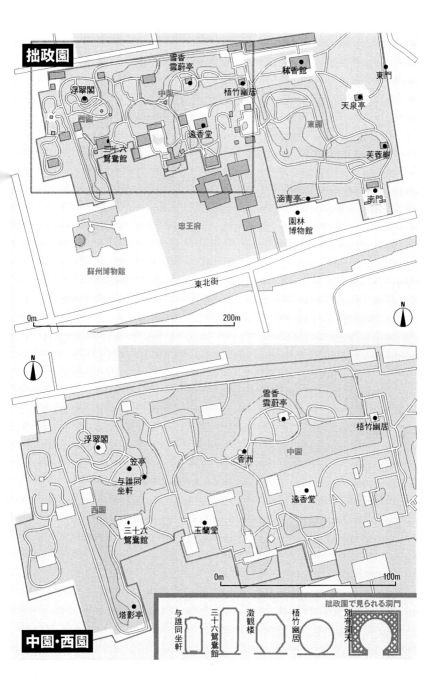

拙政園

- 浮翠閣
- 雪香雲蔚亭
- 中陽
- 梧竹幽居
- 秾香館
- 東門
- 天泉亭
- 東園
- 遠香堂
- 三十六鴛鴦館
- 芙蓉榭
- 南門
- 忠王府
- 涵青亭
- 園林博物館
- 蘇州博物館
- 東北街

0m ——— 200m

N

N

0m ——— 100m

- 浮翠閣
- 笠亭
- 与誰同坐軒
- 雪香雲蔚亭
- 梧竹幽居
- 香州
- 中園
- 西園
- 三十六鴛鴦館
- 玉蘭堂
- 遠香堂
- 塔影亭

中園・西園

拙政園で見られる洞門

与誰同坐軒　三十六鴛鴦館　澂観楼　梧竹幽居　別有洞天

齊門路

拙政園

忠王府

蘇州
博物館

東北街

潘儒巷

園林路

獅子林

臨頓路

獅林寺巷

平江路

第4縱運河

第4縱運河

0m   500m

N

獅子林

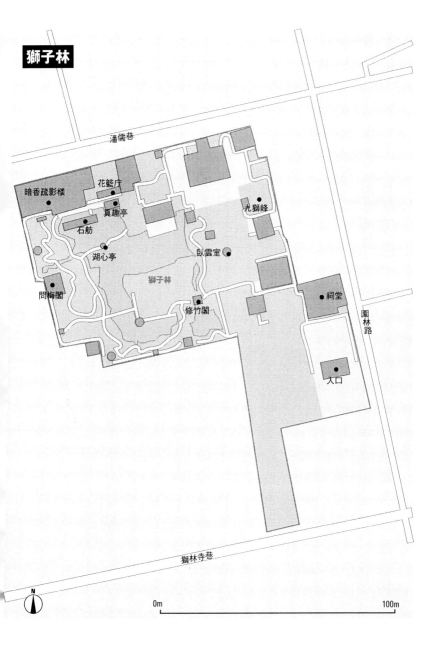

潘儒巷

暗香疏影楼

花籃庁

真趣亭

尢獅峰

石舫

湖心亭

臥雲室

獅子林

問梅閣

祠堂

修竹閣

入口

園林路

獅林寺巷

N

0m

100m

世界遺産の庭園群

　「江南の園林は天下に甲たり、蘇州の園林は江南に甲たり」と言われ、蘇州には明代に271、清代には130もの私邸園林があったという。この中国庭園は園林と呼ばれ、文人の理想とした山水美が再現された庭園と、贅のかぎりをつくした建築群からなる。蘇州四大庭園の滄浪亭（宋代）、獅子林（元代）、拙政園（明代）、留園（清代に改築）では、各々の時代の要素をもつ庭園が見られる。またそのなかで拙政園と留園は、頤和園（北京）、避暑山荘（承徳）とともに中国四大庭園にも数えられている。これらの庭園を中心に蘇州の9つの庭園が世界遺産に指定されている。

北塔報恩寺／北塔报恩寺★★☆
běi tǎ bào ēn sì
ほくとうほうおんじ／ベイタアバオエンスー

　蘇州旧城の北側に立つ八角九層をもつ北塔報恩寺。3世紀の呉の時代に仏教寺院が創建され、高さ76mの塔は南宋代の12世紀に建てられた。長いあいだ蘇州旧城の位置を示す目印になり、この街の象徴的存在となってきた。

獅子林[世界遺産]／狮子林★★☆
shī zi lín
ししりん／シイズゥリン

　獅子のかたちをした奇石で知られる獅子林。元代の1342

世界遺産に指定されている拙政園

白壁と黒屋根の江南住宅をモデルとした蘇州博物館

北塔報恩寺は蘇州旧城のシンボル

獅子林は蘇州四大名園のひとつ

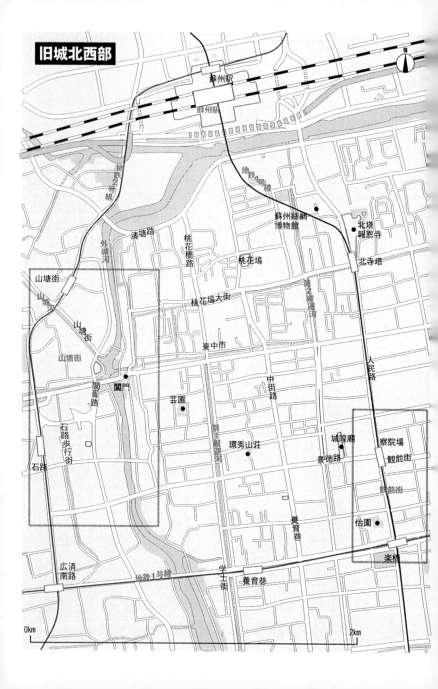

観前街

蘇州駅へ

第3横運河

因果巷

大成坊

玄妙観

陸稿薦

観前街

臨頓路

察院場

景徳路

観前街

松鶴楼

九勝巷

太監弄

得月楼

宮巷

観前公園

富仁坊巷

嘉余坊

同得興

怡園

臨頓路

干将東路

第2横運河

楽橋1号線

楽橋

蘇州公園

N

0km   1km

年の創建で、拙政園、留園、滄浪亭とならんで蘇州四大名園のひとつにあげられる。またかつて蘇州博物館を設計したI・M・ペイの一族がこの庭園を所有していたことでも知られる。

平江路／平江路★★☆
píng jiāng lù
へいこうろ／ピンジャンルウ

　蘇州を縦横に走る水路沿いの古い街並みが残る平江路。古くから「水を枕とする」と言われた蘇州では、小船を移動手段とし、水路の水を生活用水に使ってきた（かつてはどの家も自家用の船をもっていたという）。平江路界隈では白い壁に黒の屋根瓦の江南住宅が続き、また1879年に建てられた山西商人が集まる全晋会館を前身とする昆曲博物館なども位置する。

観前街／观前街★★☆
guān qián jiē
かんぜんがい／グァンチィエンジエ

　「蘇州随一の繁華街」観前街は、玄妙観の門前街として発展してきた。松鶴楼や得月楼といった蘇州料理の老舗はじめ、商店、茶館などがずらりとならび、多くの人でにぎわっている。

★★★
山塘街／山塘街 シャンタンジエ
★★☆
北塔報恩寺／北塔报恩寺 ベイタアバオエンスー
観前街／观前街 グァンチィエンジエ

玄妙観の門前街として観前街は発展した

窓枠に切りとられた景色

盤門には船用と陸用のふたつの門が残る

現存する最古級の江南庭園でもある滄浪亭

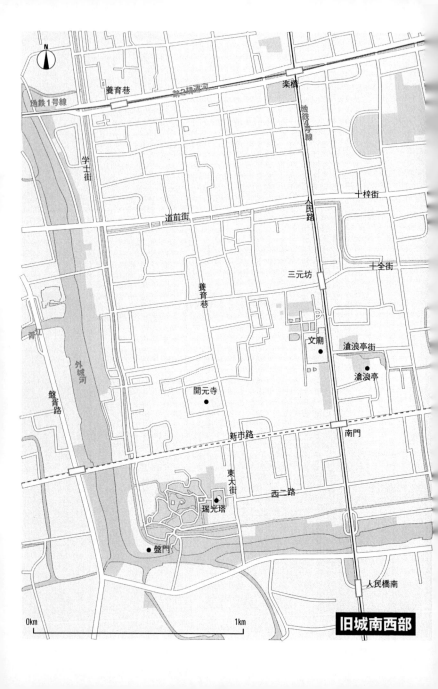

旧城南西部

旧城南東部

相門

臨頓路　幹之特道?

楽橋

地鉄1号線

双塔

蘇州大学

鳳凰街

蘇州公園

地鉄1号線

十梓街

人民路

十全街

三元坊

網師園

文廟

滄浪亭

南園

竹輝路

南門

南園北路

外城河

旧日本租界

人民橋南

N

0km　　　　　　　　　　　　　　　　　　2km

玄妙観／玄妙观 ★☆☆
xuán miào guàn
げんみょうかん／シャンミャオグァン

　玄妙観は晋代の276年に創建された道教寺院。蘇州のちょうど中心に立ち、南宋代（1179年）の様式を伝える三清殿が残る。中国の民間信仰をはじまりとする道教の祭りや行事にあたって、この道観の前で縁日が開かれた。

文廟 (蘇州碑刻博物館)／文庙 ★☆☆
wén miào

ぶんびょう (そしゅうひこくはくぶつかん)／ウェンミャオ

　「学問の神様」孔子をまつる文廟は、北宋代の1034年に創建された。蘇州碑刻博物館として開館し、現在とほぼ変わらない宋代の街区を刻む石刻『平江図』を収蔵する。

滄浪亭 [世界遺産]／沧浪亭 ★☆☆
cāng láng tíng
そうろうてい／ツァンランティン

　1044年に造園された滄浪亭は蘇州でもっとも古い庭園。周囲を水路が走り、小さな丘陵にあわせて園林が展開する。拙政園、留園、獅子林とともに蘇州四大庭園のひとつにもあげられる。

★★☆
盤門／盘门 パンメン
留園 [世界遺産]／留园 リィウユゥエン
★☆☆
文廟 (蘇州碑刻博物館)／文庙 ウェンミャオ
滄浪亭 [世界遺産]／沧浪亭 ツァンランティン
十全街／十全街 シイチュアンジエ

十全街／十全街 ★☆☆
shí quán jiē
じゅうぜんがい／シイチュアンジエ

運河沿いに明清時代の住宅が残る十全街。十全街という名前は、蘇州にたびたび南巡した乾隆帝(十全老人)にちなむ。

盤門／盘门 ★★☆
pán mén
ばんもん／パンメン

盤門は蘇州旧城に残る、ただひとつの完全なかたちの城門。水門と陸門の双方が見られ、盤門は蘇州旧城の正門にあたった(水路と陸路の両方から街に入ることができた)。また近くには、高さ43.2mの瑞光塔がそびえている。

理想を求めた文人

唐代、白居易が蘇州に庭園を構え、詩と酒にひたる生活を送り、「呉中好風景／八月如三月(蘇州の好風景/八月も三月の如し)」という詩を残している。蘇州文化の隆盛は明代に頂点に達し、官吏を退いた文人が故郷の蘇州に私邸園林を築いて自らの理想をそこで具現化した。中国随一の豊かな商業都市であった蘇州では、子女の教育にお金を使うことができたため、多くの蘇州人が科挙に合格して官吏となった。

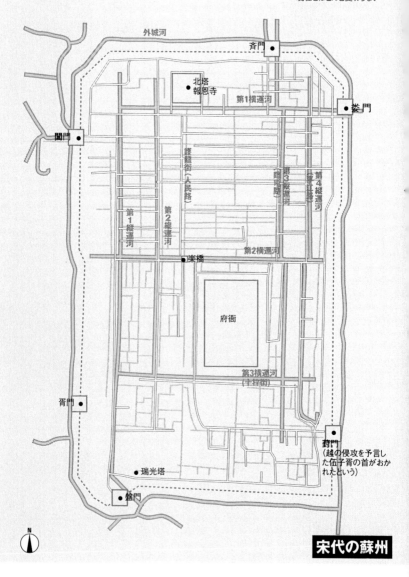

1229年に記された平江図。
街区や門の位置などは
現在とほとんど変わらない

外城河

斉門

婁門

閶門

北塔
報恩寺

第1横運河

第3縦運河（臨頓路）

臥龍街（人民路）

第4縦運河（倉街）

第1縦運河

第2縦運河

第2横運河

楽橋

府衙

第3横運河（干将街）

胥門

瑞光塔

盤門

封門
（越の侵攻を予言し
た伍子胥の首がおか
れたという）

N

宋代の蘇州

城外西部城市案内

山塘街から北西に伸びる水路は虎丘へいたる
漢詩『楓橋夜泊』で知られた古刹寒山寺
中国四大名園のひとつ留園も位置する

山塘街／山塘街★★★

shān táng jiē
さんとうがい／シャンタンジエ

閶門外の山塘街には、明清時代の商業交易の発達を受けて、各地から運ばれてきた物資が集散されていた。米や木綿、絹などの農産物を載せた船、商人の集まる会館や茶館がずらりとならび、現在でも水路を中心とした明清時代の景観が残っている（ここが商業拠点になったのは、京杭大運河により近く、旧城へ運ぶ手間がはぶけたため）。

留園［世界遺産］／留园★★☆

liú yuán
りゅうえん／リィウユゥエン

宋代の「風流天子」徽宗が集めさせた江南の奇石「冠雲峰」が残る留園。もともと明代の官吏徐時泰の庭園があったところで、中央部の池を中心に堂や亭が展開する。蘇州庭園のあらゆる要素を高度に表現した名園とされ、蘇州四大庭園ばかりでなく、中国四大庭園のひとつにもあげられる（ほかに北京の頤和園、承徳の避暑山荘、蘇州の拙政園）。

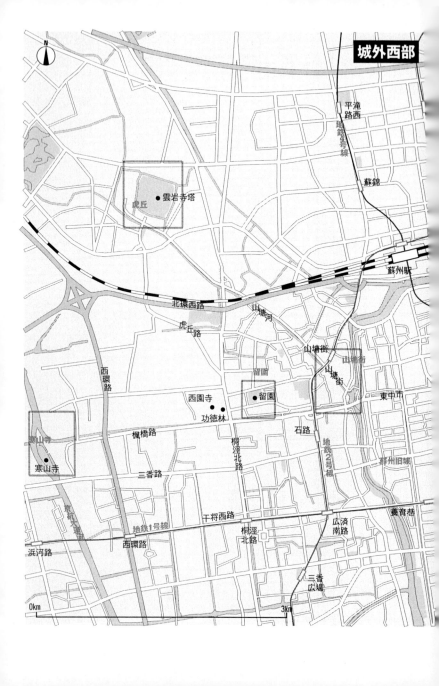

N

平滝路西

蘇錦

蘇州駅

虎丘
● 雲岩寺塔
虎丘

北環西路

山塘河

虎丘路

西環路

山塘街
山塘街
山塘街

東中市

留園
● 留園

西園寺 ●
功徳林 ●

石路

地鉄2号線

蘇州旧城

寒山寺
● 寒山寺

楓橋路

桐涇北路

三香路

京杭大運河

地鉄1号線
西環路

干将西路

桐涇北路

広済南路

養育巷

浜河路

三香広場

0km   3km

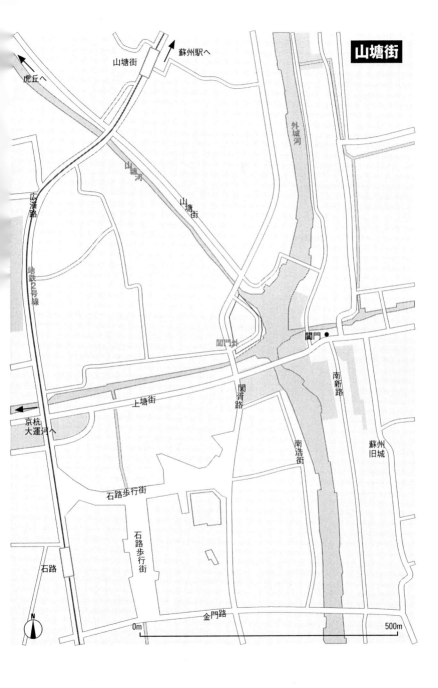

山塘街

虎丘へ

山塘街
蘇州駅へ

広済路

外城河

地鉄2号線

山塘河

山塘街

京杭
大運河へ

閶門外

閶門

南新路

上塘街

閶胥路

南浩街

蘇州
旧城

石路歩行街

石路歩行街

石路

金門路

N

0m   500m

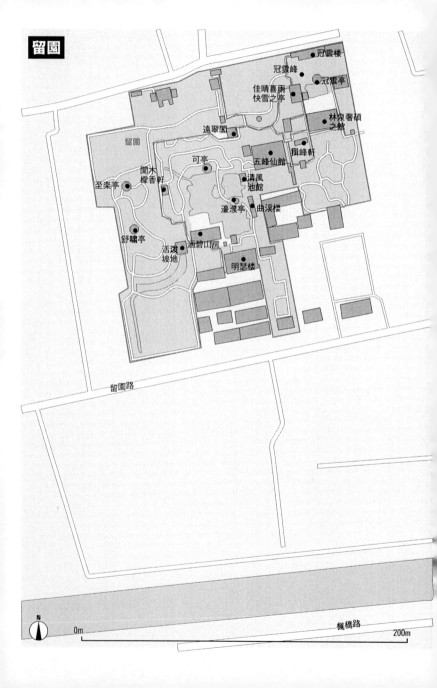

留園

冠雲楼
冠雲峰
冠雲亭
佳晴喜雨
快雪之亭
林泉耆碩
之館
遠翠閣
猊峰軒
留園
可亭
五峰仙館
聞木樨香軒
涵風
池館
至楽亭
濠濮亭
曲渓楼
舒嘯亭
活溌
坡地
清碧山房
明瑟楼

留園路

N
0m
200m
楓橋路

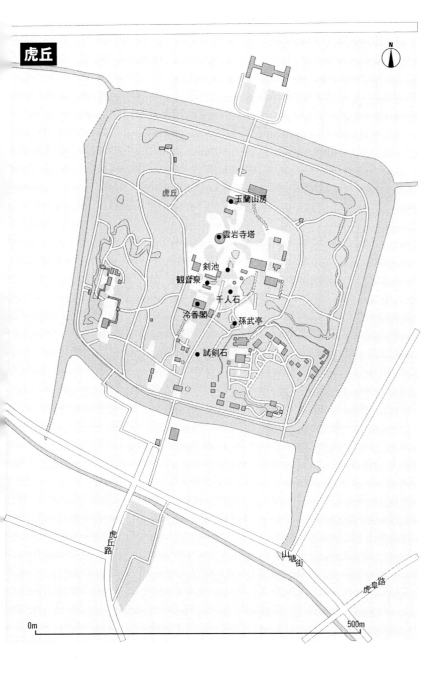

虎丘

N

玉蘭山房
雲岩寺塔
剣池
観音泉
千人石
冷香閣
孫武亭
試剣石
虎丘

虎丘路
山塘街
虎阜路

0m
500m

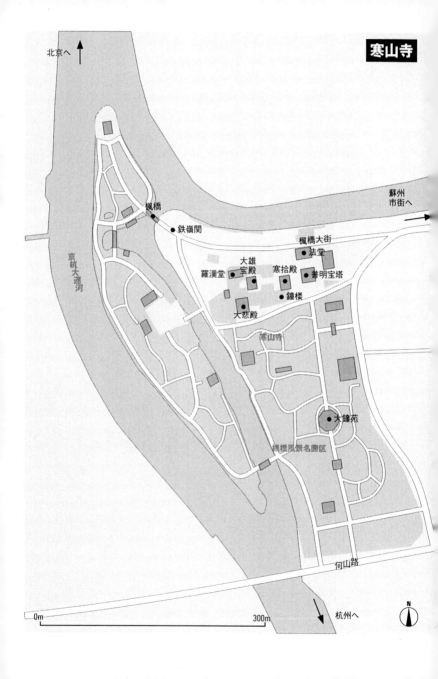

虎丘／虎丘★★★

hǔ qiū

こきゅう／フウチィウ

　蘇州旧城の北西に立ち、「呉中第一の勝景」と言われる虎丘。虎丘という名前は、春秋時代(紀元前514年)に蘇州の街を築いた呉王闔閭がこの地に葬られ、その3日後、白虎が現れて墓陵を守るようにうずくまったという伝説にちなむ。2.4度かたむいた斜塔の「雲岩寺塔」を中心に、春秋時代の3000本の剣が眠るという「剣池」、虎丘を造営した職人1000人を集めて殺し、鮮血が残る「千人石」などが残る。雲岩寺塔の高さは47.5mになり、宋代の961年に建てられた。

寒山寺／寒山寺★★★

hán shān sì

かんさんじ／ハンシャンスー

　「月落烏啼霜満天(月落ち烏啼いて霜 天に満つ)／江楓漁火對愁眠(江楓 漁火 愁眠に対す)／姑蘇城外寒山寺(姑蘇城外の寒山寺)／夜半鐘聲到客船(夜半の鐘声 客船に到る)」という張継の漢詩『楓橋夜泊』で名高い寒山寺。蘇州城外のこの地は大運河の停泊地にあたったことから、多くの旅人が往来し、寒山寺という名前は高僧寒山と拾得が住寺していたことに由来する。創建は梁の天監年間(502〜519年)にさかのぼる。

日本人と蘇州

　鐘が鳴る寒山寺を詠った『楓橋夜泊』は日本人にもっとも知られた漢詩のひとつで、古くから蘇州と日本には深いつ

ながりがあった。8世紀以後の遣唐使船は朝鮮半島を経由せず、長江へ直接いたる南ルートがとられ、蘇州黄泗浦（現在の張家港）が中国側の出帆地となっていた。そのため阿倍仲麻呂の「天の原ふりさけみれば春日なる三笠の山に出でし月かも」という歌は、蘇州で詠んだものだとされている（阿倍仲麻呂は故郷を思ってこの歌を詠んだが、結局、帰国できずに中国でなくなった）。また戦前、服部良一（1907〜1993年）作曲で、李香蘭の歌った『蘇州夜曲』にも鐘の鳴る寒山寺が登場する。

ピサの斜塔にもくらべられる霊岩寺塔の立つ虎丘

たらいに乗って蓮の実を売る

東方之門がそびえる蘇州工業園区

日本人にもなじみ深い寒山寺

蘇州郊外城市案内

中国第3の淡水湖である太湖
また現代建築の立つ開発区が
蘇州郊外に位置する

宝帯橋／宝带桥 ★☆☆
bǎo dài qiáo
ほうたいきょう／バオダイチャオ

全長317m、53の美しいアーチを描く宝帯橋。蘇州市街から南3kmの運河にかかる橋で、806年、唐代の官吏王仲舒が玉帯を売ったお金でかけたことにはじまる。現在の橋は清代に再建されたもの。

東方之門／东方之门 ★☆☆
dōng fāng zhī mén
とうほうのもん／ドンファンチイメン

蘇州東部の開発区に広がる金鶏湖のほとりに立つ東方之門(高さ278m)。ふたつの塔がカーブを描きながら上層階でつながるという建築は、蘇州の城門などがイメージされているという。湖の対岸に巨大な観覧車の摩天輪が見えるほか、蘇州文化芸術中心、蘇州国際博覧中心といった大型施設が点在する。

ふたつの開発区

蘇州の開発区は、手ぜまになった蘇州旧城外の東西におかれている。1992年の鄧小平南巡講話を受けて上海は急速

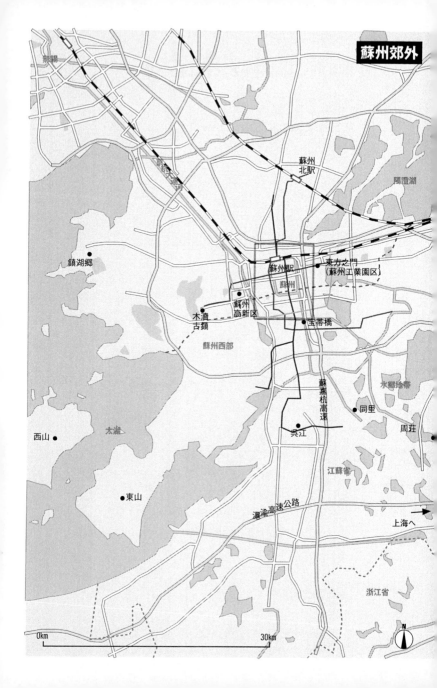

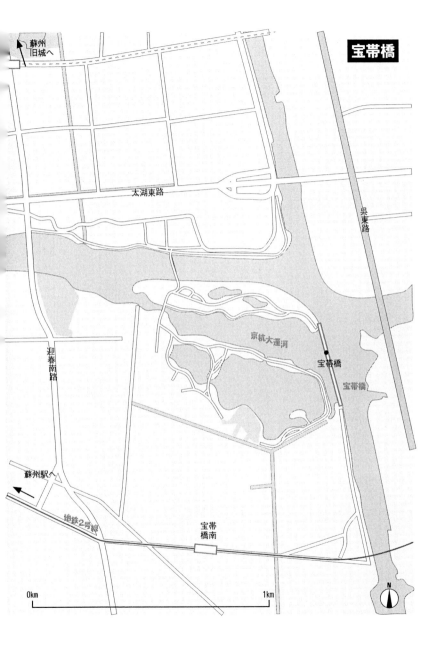

宝帯橋

蘇州
旧城へ

太湖東路

呉東路

京杭大運河

宝帯橋

宝帯橋

迎春南路

蘇州駅へ

地鉄2号線

宝帯
橋南

0km　　　　　　　　　1km

N

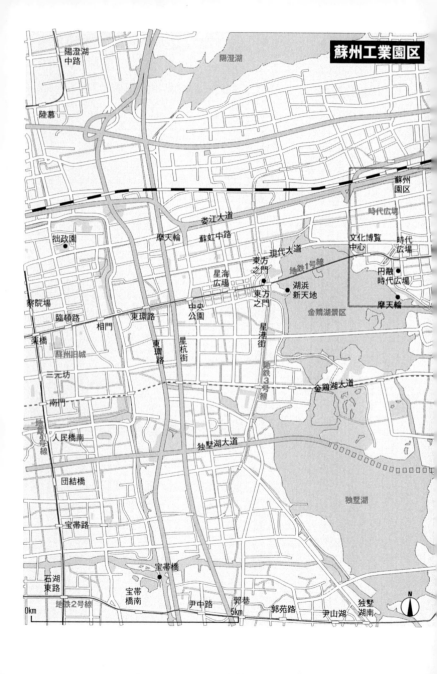

蘇州工業園区

陽澄湖中路

陽澄湖

陸慕

蔞江大道

拙政園

摩天輪

蘇虹中路

現代大道

東方之門

星海広場

東方之門

湖浜新天地

地鉄1号線

蘇州園区

時代広場

文化博覧中心

時代広場

円融時代広場

摩天輪

案院場

臨頓路

相門

東環路

中央公園

星港街

東環路

星杭街

地鉄3号線

金鶏湖景区

薬橋

蘇州旧城

三元坊

南門

金鶏湖大道

人民橋南

独墅湖大道

団結橋

独墅湖

宝帯路

石湖東路

宝帯橋

宝帯橋南

地鉄2号線

尹中路

郭巷

郭苑路

尹山湖

独墅湖南

0km

5km

N

N

蘇州
園区

蘇州工業園区

現代大道

蘇州国際
博覧中心

文化博覧
中心

月廊街

時代広場

地鉄1号線

星湖街

蘇州文化
芸術中心

円融時代
広場

華池街

旺墩路

金鶏湖

摩天輪

0km

2km

な経済成長を見せ、上海に隣接する蘇州も注目されるように
になった。上海に近い立地、労働力や土地の安さなどから、
外資系企業が多く進出し、蘇州は中国を代表する経済都市
へと成長をとげた。蘇州の開発にともなって、多くの出稼ぎ
労働者が流入し、深圳とならんで移民の割合が高いことで
も知られる。

太湖／太湖 ★☆☆
tài hú
たいこ／タイフウ

　豊かな水をたたえる太湖は、鄱陽湖(江西省)、洞庭湖(湖南
省)につぐ中国第3の淡水湖。湖の中心へ伸びる東山風景区、
神仙が棲むという西山風景区など美しい景勝地が点在す
る。また淡水魚やえび、上海蟹などの豊富な魚介類、江南を
代表する銘茶洞庭碧螺春、中国庭園にかかせない太湖石の
産地としても知られる。

★☆☆
宝帯橋／宝带桥 バオダイチャオ
東方之門／东方之门 ドンファンチイメン
太湖／太湖 タイフウ

城市のうつりかわり

春秋戦国時代から宋代そして明清時代
近代、上海にその座を譲るまで
蘇州は2500年近く江南の主都であった

春秋戦国時代（～2世紀）

　長江デルタでは6000年前の新石器時代から人の居住が確認され、太湖東の蘇州は江南地方でもっとも早く開けた土地だった。伝説では、周の太王の子泰伯と仲雍がこの地に亡命して呉を建国し、紀元前514年、呉王闔閭が伍子胥に命じて蘇州城を造営させた（当時の蘇州には、断髪、刺青をした非漢族が暮らしていた）。呉は隣国の越と争い、そのなかで「臥薪嘗胆」「呉越同舟」といった言葉が生まれた。蘇州は、呉から越、楚と主を替え、やがて始皇帝の秦の版図に入ったが、秦へ反乱を起こした項羽は蘇州で反旗を翻すなど、中央に対する反骨の気風をもつ土地柄であったという（項羽は劉邦との戦いに敗れ、やがて漢が建国された）。

六朝時代（3～6世紀）

　三国時代の一角を占める孫呉政権は194年に蘇州を支配下におき、北塔報恩寺や瑞光塔はこの時代の遺構となっている。4世紀、華北が異民族に占領されるなか、漢族が大挙して江南地方へ移住し、蘇州一帯も開発が進むようになった。南京に都がおかれた六朝（南朝）時代、江南地方の水利が整備されて経済力が高まり、優雅な貴族文化が育まれた（人々は華

北とは異なる江南の山水美を愛でた）。

隋唐時代 （6〜10世紀）

　隋の煬帝は、豊かな江南の物資を華北に運ぶために大運
河を整備し、杭州へいたる大運河が蘇州の西部を通ったた
め、蘇州の繁栄は決定的になった（隋代、近くの姑蘇山から蘇州
という名前がつけられた）。唐代には、白居易が居を構えるなど
風光明媚な蘇州は官吏の憧れとなり、文化水準も高まって
いった。また五代十国時代、杭州に都をおいた呉越は積極的
に湿地帯を開発し、蘇州一帯は豊かな穀倉地帯になってい
た。

宋元時代 （10〜14世紀）

　宋代、蘇州には平江府がおかれ、そのときの街区が刻まれ
た『平江図』は現在の蘇州の街が当時の街区とほとんど変
わっていないことを示している。この時代、江南の開発はさ
らに進んで、華北との経済力の関係は完全に逆転し、「天に
天堂、地に蘇杭あり」と言われるようになった。また元代、蘇
州の外港にあたる劉家港が北京への物資輸送の拠点となっ
たほか、元末の混乱のなかで張士誠がその経済力を背景に
蘇州で地方政権を樹立した（蘇州を奪われたことが元の滅亡を早
め、続く明の朱元璋は蘇州の商人を移住させ、重税をかけて経済力を削ご
うとした）。

明清時代 （14〜20世紀）

　明を樹立した朱元璋によって一時、蘇州の経済は停滞し
たが、やがて回復し、蘇州は明代、最高の繁栄を迎えるよう
になった。蘇州府だけで全中国の10分の1の税額を納入した

明清時代の面影を残す山塘街

上海と蘇州は高速鉄道で結ばれている

豊かな経済力が豊かな文化を生んだ

蘇州料理は中国料理を代表する

と言われる豊かさは、書画、建築、工芸、織物、料理など中国最高水準の文化を花開かせた。また蘇州人は清朝の辮髪政策に最後まで抵抗して気概を見せ、続く清朝時代も江蘇巡撫がおかれるなど江南の要地という地位は続いた。清朝皇帝は豊かな蘇州の文化に惹かれてたびたび南巡し、蘇州の庭園や料理が北京へ移植されたことからもこの街の性格がうかがえる。1863年、太平天国の乱で蘇州が陥落すると、多くの商人や官吏は蘇州から上海へ逃れ、江南の中心地は上海へ移っていった（上海はアヘン戦争後の1842年に開港され、外国の租界が構えられるなど、中国で最初に近代化が進んだ）。

近現代（20世紀～）

　日清戦争後、日本の大陸進出は進み、1896年、蘇州城外南に日本租界もうけられた。近代、蘇州西の無錫で工業化が進んだのに対し、蘇州の開発は1949年の中華人民共和国成立後も遅れていた。こうしたなか1978年にはじまった改革開放を受けて、1992年から上海は急激な経済成長を見せるようになった。上海に隣接する蘇州はその地の利、土地や労働力の安さなどから注目され、上海や北京に準ずる経済都市へと成長をとげた。一方で、明清時代の中国古典園林（世界遺産）が残り、江南文化を伝える古都となっている。

『蘇州・杭州物語』(村上哲見/集英社)

『蘇州』(伊原弘/講談社)

『水網都市』(上田篤・世界都市研究会編/学芸出版社)

『中国中世都市紀行』(伊原弘/中央公論社)

『中国江南の都市とくらし』(高村雅彦/山川出版社)

『中国の歴史散歩 3』(山口修・鈴木啓造/山川出版社)

『世界大百科事典』(平凡社)

［PDF］蘇州地下鉄路線図http://machigotopub.com/pdf/suzhoumetro.pdf

OpenStreetMap

(C)OpenStreetMap contributors

はじめての蘇州／中国庭園と鐘の鳴る「古都」

まちごとパブリッシングの旅行ガイド
Machigoto INDIA , Machigoto ASIA , Machigoto CHINA

マカオ-まちごとチャイナ

Juo-Mujin(電子書籍のみ)

自力旅游中国Tabisuru CHINA

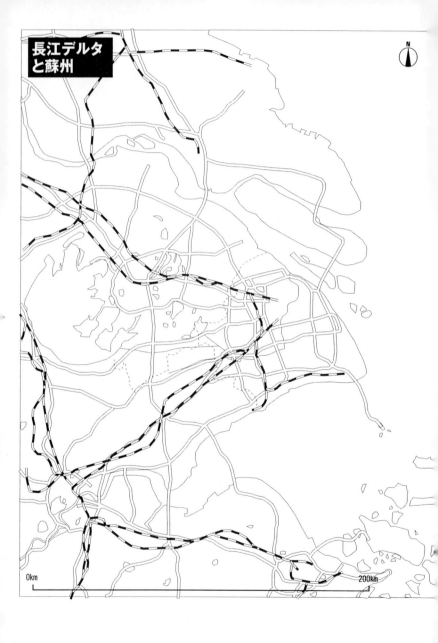

長江デルタ
と蘇州

N

0km   200km

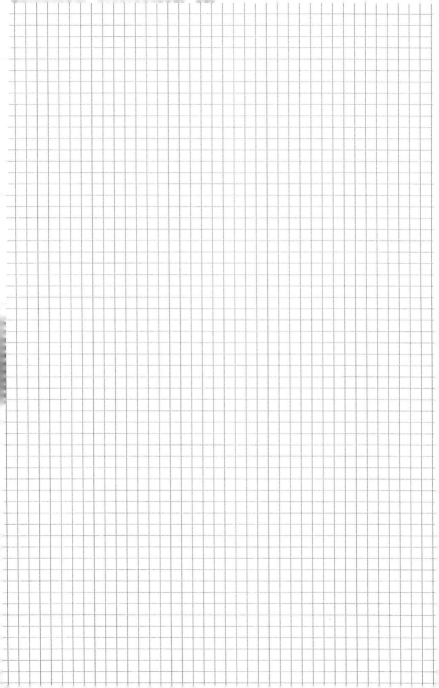

蘇州

N

0km 5km

旧城北東部

N

0km   2km

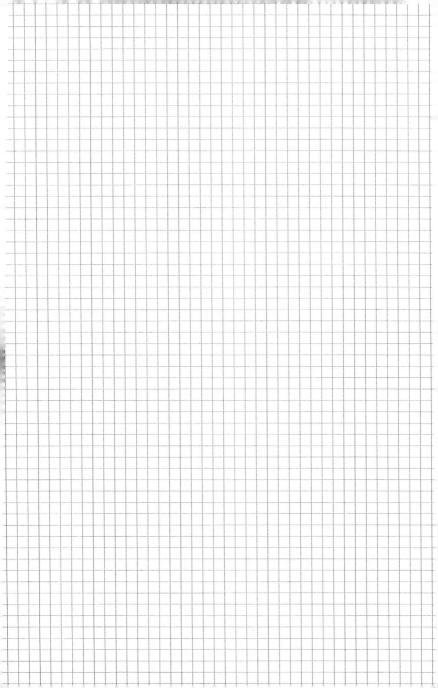

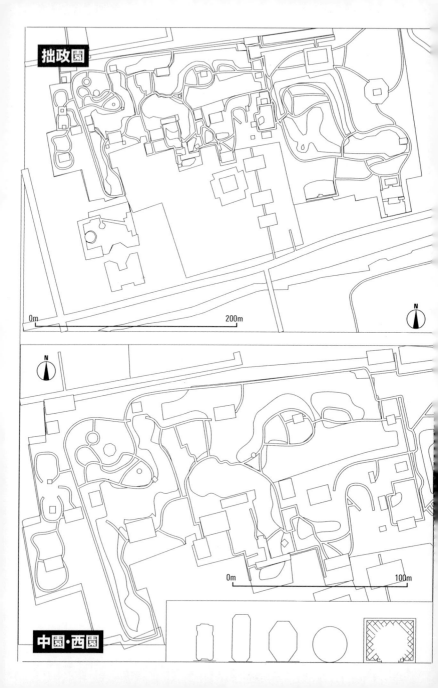

拙政園

0m _____ 200m

N

N

中園・西園

0m _____ 100m

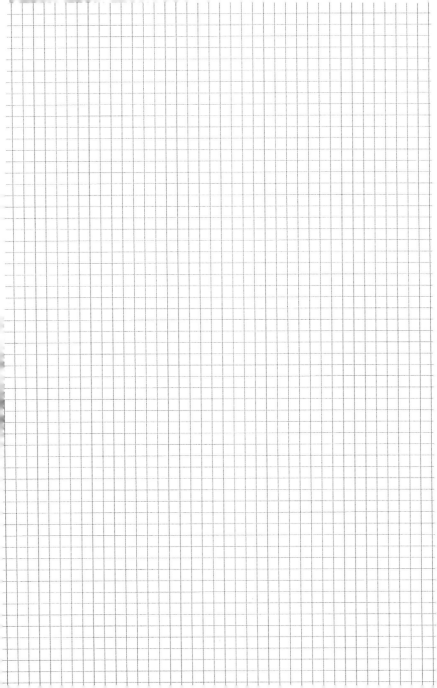

拙政園〜
獅子林

0m   500m

N

旧城北西部

0km   2km

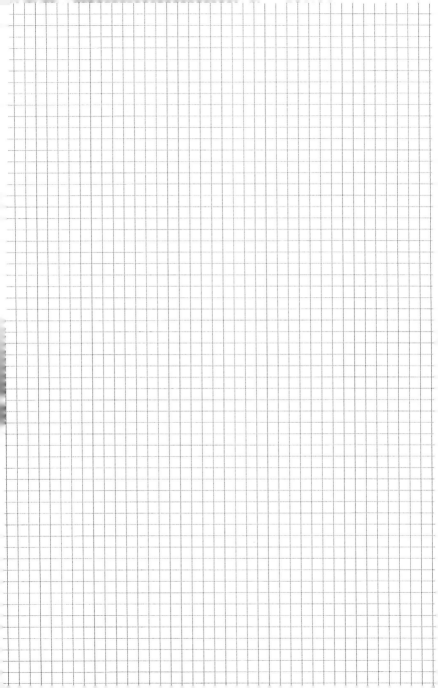

観前街

0km　　　　　　　　　　　　　　　　　　　　1km

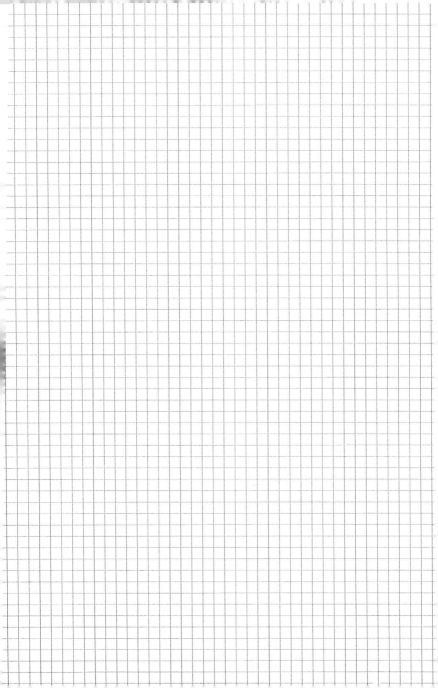

旧城南西部

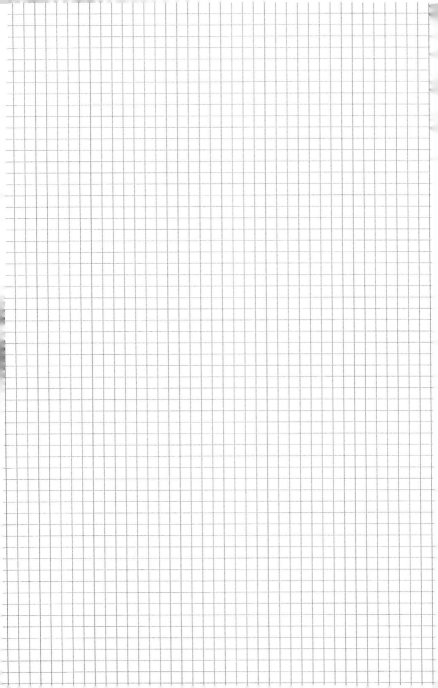

旧城南東部

N 0km 2km

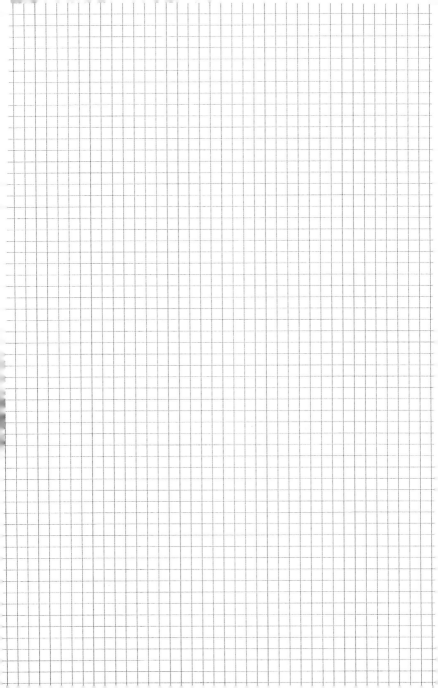

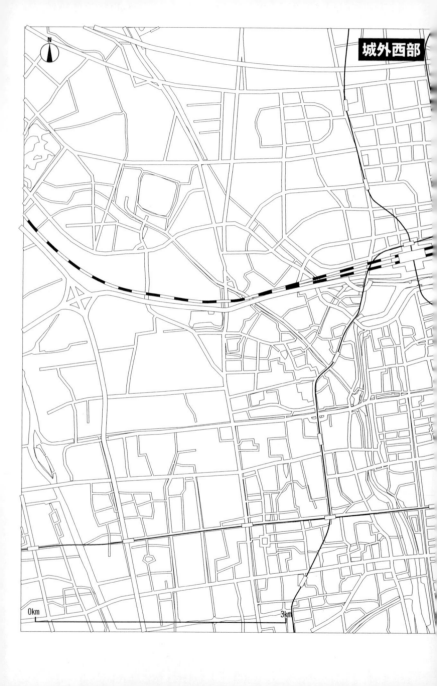

N

0km　　　　　　　　　　　　　　　　　　　3km

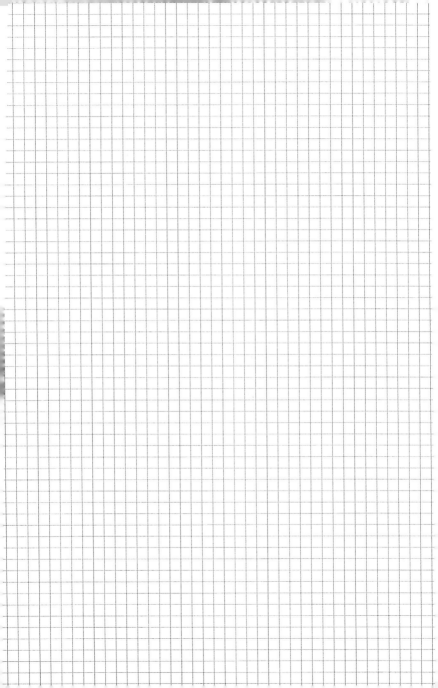

山塘街

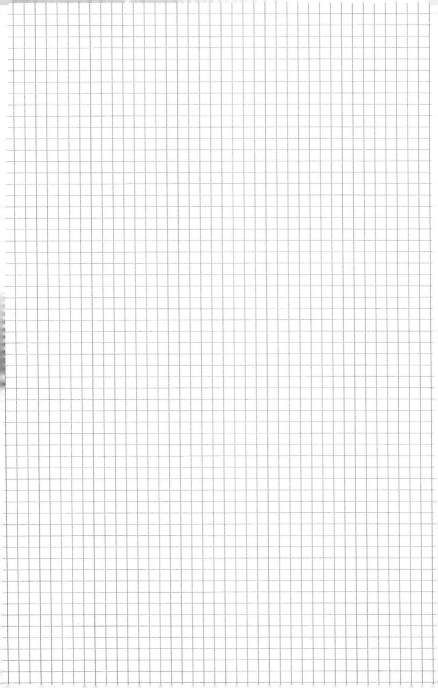

虎丘

N

0m   500m

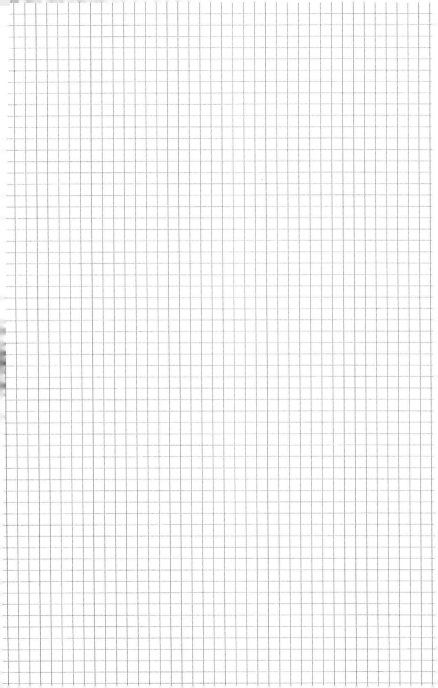

寒山寺

0m   300m

N

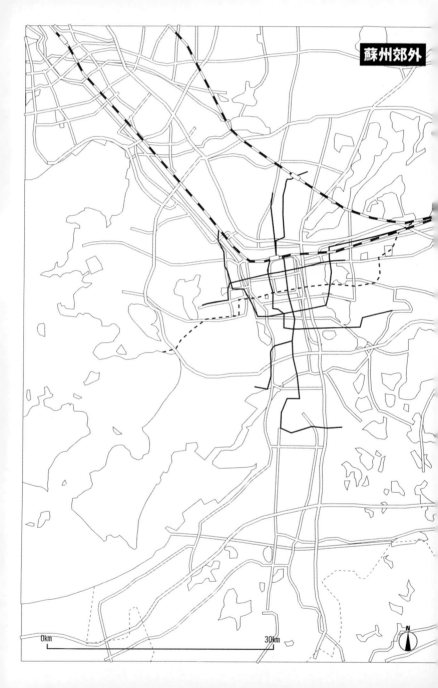

蘇州郊外

0km　　　　　　　　30km

N

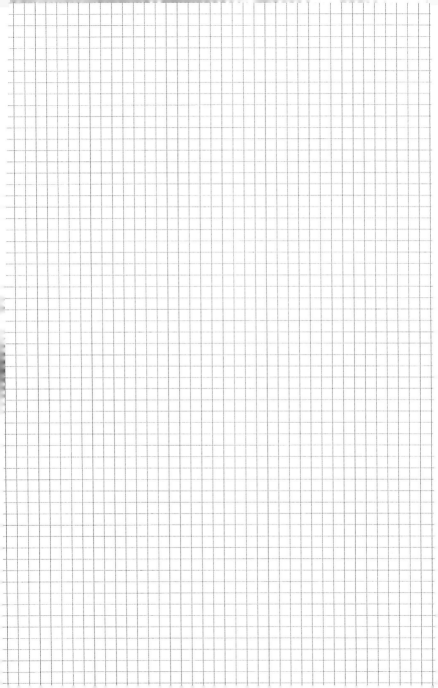

宝帯橋

0km　　　　　　　　　　　　1km

N

蘇州工業園区

0km   5km

N

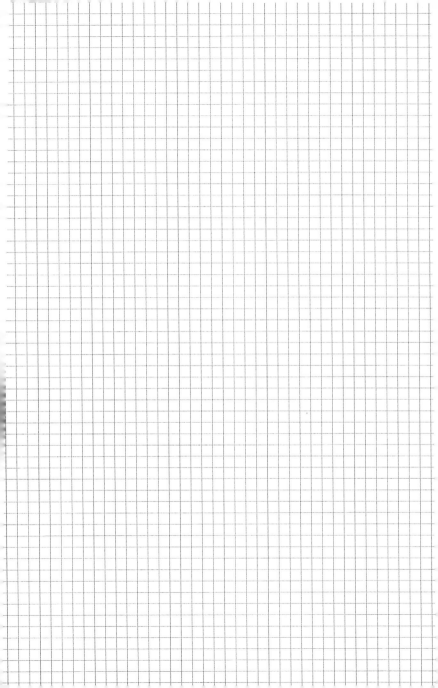

時代広場

N

0km   2km

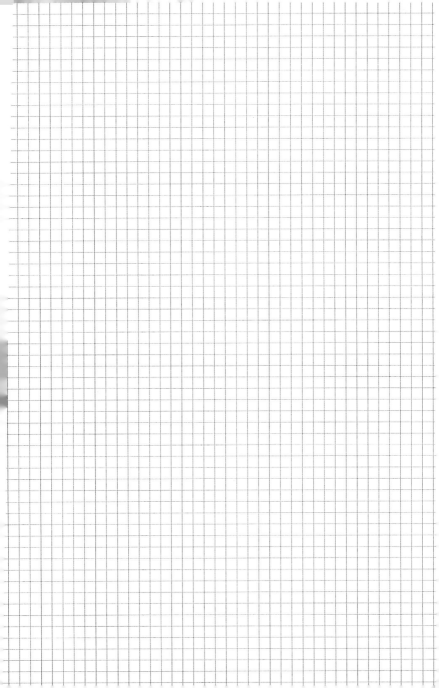

【車輪はつばさ】
南インドのアイラヴァテシュワラ寺院には
建築本体に車輪がついていて
寺院に乗った神さまが
人びとの想いを運ぶと言います

An amazing stone wheel of the Airavatesvara Temple
in the town of Darasuram, near Kumbakonam in the South India

まちごとチャイナ
江蘇省 002

はじめての蘇州
中国庭園と鐘の鳴る「古都」
［モノクロノートブック版］

「アジア城市（まち）案内」制作委員会
まちごとパブリッシング
http://machigotopub.com

・本書はオンデマンド印刷で作成されています。
・本書の内容に関するご意見、お問い合わせは、発行元の
　まちごとパブリッシング info@machigotopub.com までお願いします。

まちごとチャイナ
新版 江蘇省002はじめての蘇州
〜中国庭園と鐘の鳴る「古都」

2020年 8月15日　発行

著　者	「アジア城市（まち）案内」制作委員会
発行者	赤松　耕次
発行所	まちごとパブリッシング株式会社
	〒181-0013　東京都三鷹市下連雀4-4-36
	URL http://www.machigotopub.com/
発売元	株式会社デジタルパブリッシングサービス
	〒162-0812　東京都新宿区西五軒町11-13
	清水ビル3F
印刷・製本	株式会社デジタルパブリッシングサービス
	URL http://www.d-pub.co.jp/

MP258